SAISON 3

FILET GARNI !

LÉON BAYARD
GARDIEN DES KNIGHTS
DE COWCASTEL

DESSIN ET SCÉNARIO : ACHDÉ
COULEUR : MEL

LES PRINCIPAUX ACTEURS DE L'ÉPOPÉE !

REGRETTE TOUJOURS QUE JACQUES CARTIER N'AIT PAS DÉCOUVERT HONOLULU !

UN MUR DÉFENSIF À LUI TOUT SEUL, CERVEAU COMPRIS.

SA DEVISE: NE JAMAIS BATTRE EN RETRAITE, SURTOUT EN HIVER !

SPÉCIALISTE DE LA MISE EN ÉCHEC, SURTOUT DANS SA VIE PRIVÉE.

EST AU HOCKEY CE QUE LE BONZAÏ EST AU SÉQUOIA.

POUR LUI, TOUS LES SAMEDIS SOIRS, C'EST WOODSTOCK.

LES RONDELLES ET LES GARDIENS NE LUI DISENT PAS MERCI !

LA COUTURE N'A PLUS DE SECRET POUR ELLE.

IL EST PHARMACIEN, IL EST RICHE, IL EST KAMIKAZE !

RENTRÉE DES CLASSES

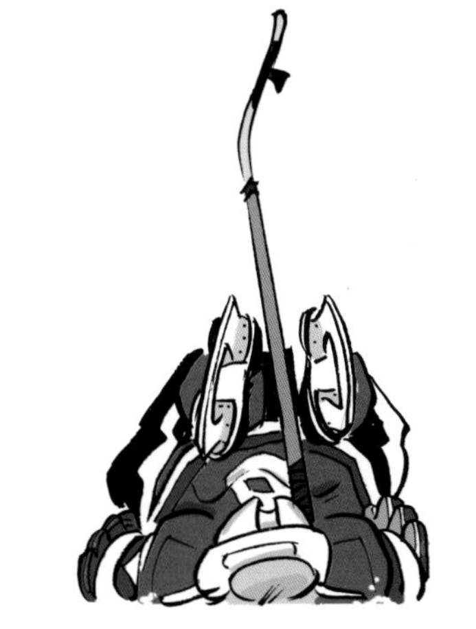

IL S'ENTRAÎNE POUR LA GRANDE FINALE DE SAMEDI SOIR !
25

Le Hockey sur Glace

SPORT DE GLACE, SPORT DE GLISSE ET DE PASSION AU LONG PASSÉ, DES ANNÉES D'ÉVOLUTION ONT PERMIS L'ÉCLOSION DE CETTE DISCIPLINE PASSIONNANTE, AUX COMPÉTITIONS PALPITANTES, AUX PAGES HÉROÏQUES.

MAIS COMMENT EST-ON PASSÉ DE CE JOUEUR À CE JOUEUR ?

ACCOMPAGNÉ DE SON CANARI PRÉFÉRÉ, LE SIEUR MAC MICHE ADORAIT SWINGUER SUR LA GLACE...
SWING!
CENSURÉ
ZOU!

EN REVANCHE, IL PERDAIT TOUJOURS SES BALLES !
18 EN DESSOUS DE LA GLACE, GRMBLL !
BLUB! GLUB! GLUB! GLUB!

ALORS, IL EUT UNE IDÉE...
SWING!
?

PLUTÔT QUE D'ENVOYER SA BALLE DANS UN TROU D'EAU GELÉE, IL VISA L'ABRI DE SON VOLATILE ; LORD MAC MICHE VENAIT D'INVENTER LA CAGE!
ET ÇA VOUS FAIT RIRE ?!

EN 1748, UN FRANÇAIS FOU DE ROCK'N'ROLL AMÉLIORE LE JEU EN REMPLAÇANT LA BALLE PAR UN DISQUE. LE NOM RESTERA...

A OUAH MA BELOUM PIN POUM

EN 1812, UN ITALIEN, MICKEY TOPOLINO, PRENAIT DES BRASSÉES À CHAQUE PARTIE...
OUILLE !

EXCÉDÉ, IL CRÉE LES PREMIERS ÉQUIPEMENTS DE PROTECTION DE HOCKEY.
TU SAIS CE QU'ELLE TE DIT LA PASSOIRE, GROS TAS ?!!

PUIS AMÉDÉE MICHELIN, UN FABRICANT QUÉBÉCOIS DE PNEUS POUR VÉLOS, INVENTERA LA RONDELLE MODERNE, PLATE, CIRCULAIRE ET TRAUMATISANTE !

MALGRÉ SON INVENTION, IL EST À NOTER QU'AMÉDÉE NE PARVIENDRA JAMAIS À JOUER CORRECTEMENT AU HOCKEY SUR GLACE, ALLEZ SAVOIR POURQUOI...

POUR MIEUX VOIR LA RONDELLE DURANT LES PARTIES, EN 1901, UN JEUNE PRUSSIEN INVENTE LA GLACE BLANCHE...
J'AIMAIS PAS LE CHOCOLAT.

PUIS ARRIVE EUSÈBE STANLEY ...
GRMBLL!

EN 1912, IL PART EN PIQUE-NIQUE POUR L'AFRIQUE ...
YOYOLÉLÉ
IT'S A LONG WAY TO...
COIN ?
MIAOU!

DEPUIS DES MOIS, IL CHERCHE À INVENTER UN TROPHÉE POUR SON SPORT FAVORI, ET C'EST DANS LA SAVANE QU'IL VA LE DÉCOUVRIR...
ENFIN !
THE
BAR DE TARZAN

DOCTEUR LIVINGSTONE, AILLE PRÉSIOUME ? J'AI APPORTÉ LES CACAHUÈTES. SORS TA LIMONADE !
?!
HIC?

IL DÉCOUVRE ALORS LES CÉLÈBRES COUPES ZOULOUES EN ARGENT: IL A TROUVÉ SON FAMEUX TROPHÉE !!
ET GLOU ET GLOU ET GLOU ...
LIMONADE
ENCORE UNE COUPE, STANLEY ?!
HIC!
JUS DE BANANE

ENFIN, CE SONT LES ROMAINS QUI INVENTERONT L'ARÉNA MODERNE POUR LES COMPÉTITIONS DE HOCKEY.
FIN
OUILLE!
PÉNALITÉ!
NON !
SI !
T'VAS VOÈR TOUÉ !
JE COMPTE !
PAF!
MAIS ÇA VA PAS, NON !
OÙ SONT MES DENTS ??
ICI !
MAMAN!

C'EST TRÈS BIEN MON PETIT ELMER: SURPRENANT MAIS PLEIN D'IMAGINATION.
Rédaction
l'histoire d'un sport -

... ET JE PENSE QUE MON OBSESSION POUR LE HOCKEY SUR GLACE EST NÉE CE JOUR-LÀ.

SAISON 3

FILET GARNI !

« IL Y A UNE ÉQUIPE DE TROP DANS CETTE VILLE, FOIE JAUNE ! »

UN JOUEUR DES ISLANDERS À UN JOUEUR DES RANGERS.

NEW YORK, 1972

ZIP!

CRRRR!

CHLIP!

WOSH!
ZLOUP!

ABOBO !
MERCI MONSIEUR LÉPAIS ...

CHERS COLLÈGUES, JE CROIS QUE CES NOUVELLES LAMES ANTICOUPURES EN CAOUTCHOUC MOU NE SONT PAS ENCORE AU POINT.
EN BOIS PEUT-ÊTRE ...
COMMISSION DE SÉCURITÉ DES SPORTS UN PEU VIOLENTS
7

ARTILLERIE LOURDE

NOMTIDJÏÜÜÜÜ !

SHOK!
HAN !

GNÏÏÏÏÏÏÏÏ !
CRRRRRRRRR

CRAC!
ZOU !

DITES RAVAGNARD, J'VEUX BIEN QU'ON MUSCLE LES JOUEURS
...

... MAIS AVEC DES ÉLASTIQUES POUR TRAMPOLINE, C'EST PAS AU POINT.
J'MANQUE DE RESSORT, MOI !
ABOBO !
10

VOUS AVEZ BIEN TRAVAILLÉ; PAUSE DE 15 MINUTES POUR TOUT LE MONDE !

OUF! ÇA FAIT DU BIEN QUAND ÇA S'ARRÊTE !
TU L'AS DIT BOUFFI !
ÉH, REGARDEZ UN PEU, Y A POCKET QUI FAIT LE CLOWN !!

YAHOOUU ! JE SUIS DAVE "TIGER" WILLIAMS !

HA! HA! HA! À MOI !! JE VAIS VOUS MONTRER COMMENT ON PILOTE UN BALAI DE SORCIÈRE !!

TAGADA! TAGADA! TAGADA!

YAHOOOU !
JE SUIS HARRY POTTER !

CRAC

DITES, VOUS ÊTES DE PLUS EN PLUS VIOLENT AU HOCKEY !!! JOUER SUIVANT LES RÈGLES, C'EST POURTANT PAS SORCIER !!!

POING FAIBLE

* MUSIQUE DE ROCKY (1,2,3,4...)

LES MASQUES LES PLUS IMPROBABLES DES ÉQUIPES DE LA NUL

FLOWERS
DE PHILADELPHIE

CRAZY BIRDS
DE PHOENIX

RED FISH
DE MIAMI

MOONWALKERS
DE HOUSTON

LES NETTOYEURS
DE SAINT JOHN'S

SUBMARINERS
D'HALIFAX

BIKERS
DE DAYTONA

RED ROBBER
DU BRONX

WELDER
DE DÉTROIT

JERRYCANS
DE CAROLINE

CARNAVAL
DE LA NOUVELLE-ORLÉANS

GUY LAPINTE EN FIN DE
MATCH CONTRE LES BOXEURS
DE LAS VEGAS !!

8

PERFECTION

VROUP!

Alléluilla !

DÉSOLÉ, BÂTON NON CONFORME : LA COURBURE DE LA PALETTE EST 1 MILLIMÈTRE AU-DESSUS DE LA LIMITE AUTORISÉE !!!
24

EMPOIGNADE

... LA TENSION EST PALPABLE ENTRE LES JOUEURS...

OOH! QUELLE AGRESSION VOLONTAIRE DE LA PART DU NUMÉRO 3 DES B.52 DE TUCSON !
WOSH

IL FALLAIT S'Y ATTENDRE ...
RAAA!
KAYAAA!

ÇA VA CHAUFFER ENTRE LES DEUX ÉQUIPES ...
VLAN!

EUH ??!
TANGO!
CLONG!
TANGO!!

MI CORAZONE !

TANGO !
CALME-TOI MON MINOU, C'EST LA POUTINE AUX CREVETTES DE TA MÈRE QUI TE DONNE ENCORE DES CAUCHEMARS.
43

CHANDAILS DIVERS

CANAYENS! COMME TOUS LES BONS JOUEURS PROFESSIONNELS, IL EST UTILE POUR VOUS DE VOUS FROTTER À D'AUTRES DISCIPLINES AFIN DE PERFECTIONNER RÉFLEXES, RAPIDITÉ ET ENDURANCE DANS VOTRE PROPRE SPORT ...

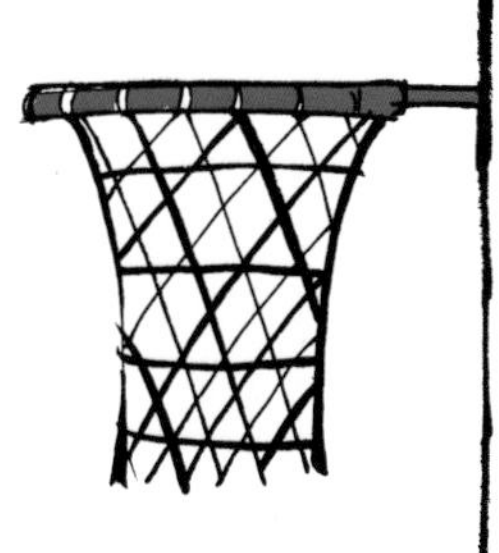

TÉLÉ-RÉALITÉ

BULLETHALL, MONTANA, PATINOIRE EXTÉRIEURE DES TRAPPEURS ISOLÉS, PREMIÈRE PÉRIODE, 01:20...
Poc !

WOSH!

VOUF!

VAVAVOUM
?

?
?

BOUF!

BULLETHALL, MONTANA, PATINOIRE EXTÉRIEURE DES TRAPPEURS ISOLÉS, 01:46, FIN DE PARTIE !

AIR WEEK

VESTIAIRE

COUPE LIVINGSTONE

...C'EST QUAND ELLE M'A DIT QU'ON TOMBAIT EN FINALE CONTRE LES BRUMES DE ROUSTON QUE J'AI COMPRIS QUE C'ÉTAIT D'L'ARNAQUE
MADAME ZOUBIA VOYANCE-AVENIR
BOULE DE CRISTAL
LIGNES DE LA MAIN
36

36_

DITES NORMAN, VOUS ÊTES SÛR QUE C'EST BIEN PRUDENT DE FAIRE CETTE SORTIE EN MONTAGNE LA VEILLE D'UN MATCH. ON GÈLE ICI !

JE VOUS RAPPELLE QUE VOUS JOUEZ CONTRE LES GRIZZLYS DU COLORADO DEMAIN: UN ARÉNA À 1700 MÈTRES D'ALTITUDE. VA FALLOIR TENIR AU NIVEAU SOUFFLE !

MON TRAVAIL EST DE VOUS PRÉPARER À CETTE JOUTE, ALORS ON CESSE DE GEINDRE ET ON RESPIRE!! ICI, VOUS ALLEZ VOUS FORGER DES POUMONS EN ACIER TREMPÉ !!!

ALLEZ, TOUS ENSEMBLE: ON INSPIRE À FOND ...
PFFF!

...ET ON EXPIRE TOUT CE QUE L'ON A EN HURLANT SON ÉNERGIE NÉGATIVE TEL UN SAMOURAÏ AU COMBAT !
KIIAAA
?!
?!
?!

BROLOM!
GULP!

BROOOOOOM

COMMENT CA ?!! VOUS VOULEZ REPOUSSER LE MATCH DE DEMAIN POUR VOUS PERMETTRE DE DÉCONGELER TOUS VOS JOUEURS ?!
VOUI, ON N'A PAS TROUVÉ DE FOUR À MICRO-ONDES ASSEZ GRAND...
31

MAUDIT ARÉNA

FREINE
SSHHHHHH

?!
ZIP!

POC!
ZOU!

POK!

CHOPE!

TADZAAAM!

BRAVO ! BRAVO ! BRAVO ! MAGIQUE ! ET OÙ QU'ELLE EST LA RONDELLE, OÙ QU'ELLE EST ?
CLAP! CLAP! CLAP! CLAP! CLAP!

LÀ !

BRAVO MON GUYTOU !
J'SAVAIS BIEN QUE LA BOÎTE DE MAGIE QUE J'T'AI OFFERTE POUR TES 6 ANS TE SERVIRAIT UN JOUR !!
JE T'♥
44

TOC

CLIC!

CHIIIIIII.....!

TCHOC!

PCHIII !

PRENDS GARDE À "POUM POUM" GROGRION, LE MEILLEUR TIREUR DE LA LIGUE. SES SLAPS ONT DES EFFETS MAGIQUES. IL PARAÎT QU'IL FAIT PRÉPARER SES BÂTONS PAR UN SYSTÈME DE HAUTE TECHNOLOGIE.

34

TAILLEUR DE COSTARD

30

VOYEZ CE PETIT HOMME INSIGNIFIANT QUI MARCHE, ANONYME, DANS LA GRANDE VILLE...

CETTE DEMI-PORTION, CE BLANC-BEC QUE PERSONNE NE REMARQUE PORTE EN LUI UN LOURD SECRET...

CAR LA NUIT, SEUL DANS LA GRANDE VILLE ...

IL SE TRANSFORME EN...
ZOU!
ZIP!
ZAP!
CROUIC!
GNAP!
FLASH!

Super Hockey Man !®
BOP!
BOP!
BOP!
TADZAAM !

CIEL ! QU'APERÇOIS-JE ?! UNE MISE EN ÉCHEC IRRÉGULIÈRE SUR UN PAUVRE JOUEUR SANS DÉFENSE !!

KAYAAA!
?
SUPERHOCKEYMAN ! ENFIN !!

NON, NON, NE ME FRAPPEZ PAS SUPERHOCKEYMAN ! C'EST JURÉ, J'LE REF'RAI PU !
J'M'INSCRIRAI AUX BAGARREURS ANONYMES...
SOAP

POF!
ALORS COMME ÇA ON VEUT JOUER AU JUSTICIER ?!
DEMI-PORTION !!
SOAP
32

...CHERS TÉLESPECTATEURS, CE SOIR ALLONS-NOUS ASSISTER À LA CINQUANTIÈME VICTOIRE DE MARIO, NOTRE CHAMPION DES CHAMPIONS DE "QUESTIONS GLACÉES SUR LE HOCKEY" ?!!
SUSPENSE !! HA! HA!
Champion

PREMIÈRE QUESTION, FACILE: DE QUEL CÔTÉ MARTIN BRODEUR ENFILE-T-IL SA MITAINE ?
À GAUCHE !
EXACT !
SBONK!
POUEET

QUESTION 2: QUEL GRAND JOUEUR DES CANADIENS DE MONTRÉAL A MARQUÉ LE PLUS GRAND NOMBRE DE POINTS DURANT TOUTE SA CARRIÈRE ?
GUY LAFLEUR AVEC 1246 AU COMPTEUR !
PLINK!
CORREEECT !
PROUT

QUESTION 3, PLUS DIFFICILE: QUEL ÉTAIT LE NUMÉRO DU CHANDAIL DE SIMON GAGNÉ LORS DE LA VICTOIRE AUX JEUX OLYMPIQUES DE SALT LAKE CITY ?
BRAVO !
LE NUMÉRO 21 !
KONK

QUESTION ROUGE À PRÉSENT: MARIO, QUELS JOUEURS COMPOSAIENT LA LIGNE "G-A-G" ?
BIP!
FACILE: VIC HADFIELD, JEAN RATELLE ET ROD GILBERT.
EXCELLENT, MARIO !!

QUESTION NOIRE ENFIN: DONNEZ-MOI LES MENSURATIONS EXACTES DU GRAND DAVE KEON !
5 PIEDS 9 POUCES ET 165 LIVRES, SOIT 1,75 MÈTRE POUR 74,84 KILOS !
INCROYABLE !
CHBOUF!

ET VOICI LA DERNIÈRE QUESTION, UNE QUESTION "CLIN D'OEIL". LES 50 000 DOLLARS SONT AU BOUT !

ATTENTION MARIO, C'EST TRÈS SIMPLE : ÉPELEZ-MOI LE MOT "HOCKEY" !
TILT!
GASP !

J'T'EN PRIE, NE FAIS PAS DE BÊTISE, MARIO...
REGARDE, TON ANCIENNE INSTITUTRICE MADAME LAROUSSE EST MÊME VENUE POUR T'AIDER !

COMMENCE, MARIO.

HAN !
SLAP!

PAS MAL, MAIS C'EST PAS AU CENTRE.

LAISSE FAIRE ELMER LE TIREUR D'ÉLITE !

HAN !
SLAP!

OUAH LE RASE-MOQUETTE, C'EST PAS MIEUX QUE MARIO !

ÉHO, LÉO, T'AS QU'À L'FAIRE TOUÉ!
OUAIP, GRANDE BOUCHE !!
OK.

UMPF ! UMPF! UMPF! UMPF! UMPF!
SLAP! SLAP! SLAP! SLAP! SLAP!

VOILÀ

REVENEZ LES COPAINS, J'AI PAS ENCORE TIRÉ AVEC MON BON CÔTÉ !
ÉCOEURANT !

BOUF!

TAYLOR-FORMOL
AVEC LA POMMADE TAYLOR-FORMOL JE NE SENS PLUS LES COUPS !
MERCI À EUX !
TAYLOR POMMADE CHOC
TV SPORT

TCHAC!
UMPF !

TAYLOR-FORMOL
IL ME FAIT DE JOLIES CICATRICES !
SUPER LE FIL TAYLOR-FORMOL
MERCI À EUX !
TV SPORT

BLAM!

TAYLOR-FORMOL
J'SENS PLUS MES OS CASSÉS!
GÉNIAL LE PLÂTRE TAYLOR-MACHIN...
MERCI À EUX !
TV SPORT

VLAN! VLAN! VLAN! VLAN! VLAN! VLAN!
GERONIMOOO !
DITES FORMOL, JE TROUVAIS VOTRE IDÉE DE FAIRE FAIRE DE LA PROMOTION À LA TÉLÉ PAR LES JOUEURS FORMIDABLE...

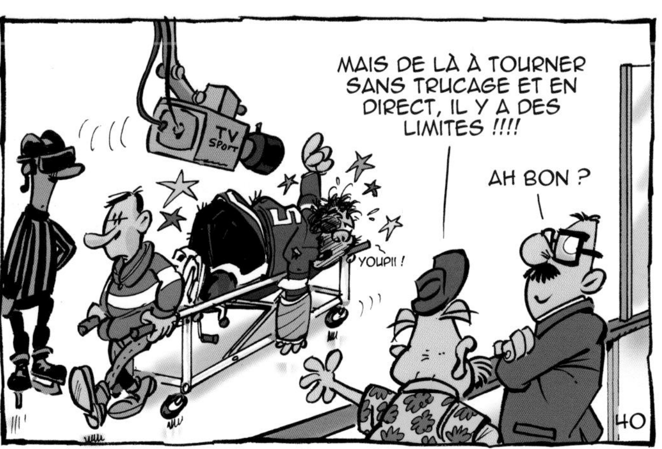
MAIS DE LÀ À TOURNER SANS TRUCAGE ET EN DIRECT, IL Y A DES LIMITES !!!!
AH BON ?
YOUPI !
TV Sport
40

UN PEU D'HISTOIRE NE FAIT PAS DE MAL !!

QU'ON L'APPELLE "BÂTON", "CROSSE" OU "HOQUET" (QUI DONNERA SON NOM À NOTRE DISCIPLINE FAVORITE), ON NE PEUT PAS JOUER AU HOCKEY SUR GLACE SANS !

AUJOURD'HUI CE TROISIÈME MEMBRE ARTIFICIEL DU JOUEUR COMPLÈTE SA SILHOUETTE SUR LA GLACE. MAIS, EN DÉFINITIVE, CONNAISSONS-NOUS SON ORIGINE ; QUELLE EST SON HISTOIRE ?

UNE FOIS DE PLUS, LE PROFESSEUR DUCHAPEAU DES CANAYENS VA VOUS ÉCLAIRER SUR LE SUJET. (BANDE DE BOULETS !!!)

6000 AV. J.-C.

PREMIÈRE ÉBAUCHE DE CE QUI DEVIENDRA LE BÂTON MODERNE. UN PEU RUSTIQUE, IL SERA TRÈS VITE REFUSÉ PAR LES ARBITRES DU PALÉOLITHIQUE, LE JUGEANT TROP LÉGER.

ÉQUIPE DES NÉANDERTALS DE STOCKHOLM

800 AV. J.-C. - GRÈCE

CROSSE GRECQUE RETROUVÉE LORS DE FOUILLES DE L'ANTIQUE STADE D'OLYMPIE PAR LE QUÉBÉCOIS HIPPOLYTE FOUILLETOU EN 1880. VOICI LA PREUVE TANGIBLE "QU'IL FAISAIT BEN FROID EN C'TEMPS-LÀ" ! LE CLIMAT S'EST RÉCHAUFFÉ DEPUIS...

ÉQUIPE DES 300 DE SPARTE

1450 AV. J.-C.

HOQUET DE BERGER AYANT APPARTENU À MOÏSE LUI SERVANT À JOUER AU HOCKEY SUR DÉSERT LORS DES HIVERS RIGOUREUX D'ÉGYPTE OU DE PALESTINE ET, OCCASIONNELLEMENT, À OUVRIR LA MER ROUGE POUR RIGOLER EN VOYAGE, NOTAMMENT LORSQU'IL FUT REPÊCHÉ PAR L'ÉQUIPE DE TEL AVIV.

ÉQUIPE DES ÉTOILES DE BETHLÉEM.

1515 AP. J.-C.

HALLEBARDE SUISSE. PREMIER BÂTON DE L'ÉQUIPE NATIONALE HELVÈTE, TRÈS VITE ABANDONNÉ APRÈS LE MATCH FRANCE-SUISSE À MARIGNAN. DEPUIS LORS, LES SUISSES COLLECTIONNENT LES PARTIES SANS PÉNALITÉS.

ÉQUIPE DES MEULES DE GRUYÈRE.

800 AP. J.-C.

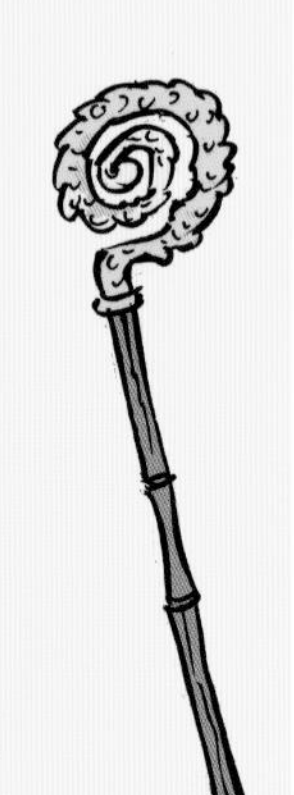

CROSSE DE L'ÉVÊQUE COCHON QUI S'ADONNAIT AU HOCKEY SUR SEINE ENTRE DEUX BÛCHERS POUR SE RÉCHAUFFER. JEANNE D'ARC EN SAIT QUELQUE CHOSE.

ÉQUIPE DES EXTINCTEURS DE ROUEN.

1535 - CROSSE INDIENNE

ELLE FUT OFFERTE À JACQUES CARTIER LORS DE SA REMONTÉE DU SAINT-LAURENT EN PATINS À GLACE.

SA FORME MODERNE EST DÉJÀ LÀ, IL NE MANQUE QUE LA RONDELLE, MAIS À L'ÉPOQUE ON PRÉFÉRAIT JOUER AVEC UN OURS OU UN ORIGNAL !

ÉQUIPE DES ÉLANS DE QUÉBEC

1772 - BÂTON ANGLAIS

PREMIÈRE COPIE DE LA CROSSE INDIENNE. NOTEZ LA PIÈTRE QUALITÉ DE CELLE-CI.

IL EST À REGRETTER QUE LE MOT "STICK" ANGLAIS REMPLACERA DANS LA LANGUE QUÉBÉCOISE LE NOM "CROSSE" ISSU DU VIEUX "FRANÇOIS" ET TOUJOURS USITÉ DE L'AUTRE CÔTÉ DE LA GRANDE MARE !

MAUDITS FRANÇOIS !!

ÉQUIPE INCONNUE

1875 - BÂTON MODERNE

LES INDIENS MICMACS INVENTENT ENFIN LE BÂTON MODERNE.

SA FORME EST DÉJÀ TRÈS ACTUELLE. IL EST DROIT, SOLIDE, FACILE À JOUER ET PEUT SERVIR DE BOIS DE CHAUFFAGE, BREF, UN VÉRITABLE OUTIL TECHNOLOGIQUE DE POINTE !!

ÉQUIPE DES NATIONALS DE MONTRÉAL

1961 - LE BÂTON À PALETTE COURBE DE STAN MIKITA

...ET SOUDAIN LE HOCKEY NE FUT PLUS JAMAIS LE MÊME.

DÈS LORS, LES LANCERS FRAPPÉS SONT MONSTRUEUX, ET LES TIRS DU POIGNET FONT LEUR APPARITION. EN REVANCHE, C'EST LA FIN DU TIR DE REVERS.

LE CHALUMEAU AU SERVICE DE LA GLACE. L'EUSSES-TU CRU ?!

1995 - LES BÂTONS EN KIT

L'INVENTION COMMERCIALE PAR EXCELLENCE. ON N'ACHÈTE PLUS UN OBJET MAIS TROIS ! (JE COMPTE LE RUBAN ADHÉSIF.) ON MÉLANGEAIT TOUS LES INGRÉDIENTS : LE BOIS, LA RÉSINE, LES PLASTIQUES, L'ALUMINIUM : UN VRAI PUZZLE !

L'INVENTEUR DE CETTE MERVEILLE ÉTAIT DINGUE DE MAQUETTE ET DE MÉCANO ÉTANT ENFANT.

2011 - LE BÂTON DES GRANDES OCCASIONS

UTILISÉ DE NOUVEAU PAR CERTAINS "BÛCHERONS" DE LA PISTE LORSQUE L'ENJEU EST TROP IMPORTANT AUX YEUX DE LEUR COACH. MAL PERÇU PAR LES JOUEURS SURTOUT APRÈS L'AVOIR PRIS SUR LA TÊTE, CE TYPE DE BÂTON SEMBLE ÊTRE INTEMPOREL.

PRIONS POUR QU'IL DISPARAISSE ENFIN UN JOUR DE L'HORIZON DE NOTRE SI BEAU SPORT.

QU'EST-CE QU'IL A PU ÊTRE TANNANT LE PÈRE LEBOEUF CE MATIN...
ÉPAIS COMME IL FAUT, L'ANIMAL !

?!!
VROUP!

POUT!
POUT !
POUT !
POUT!
TOC! TOC!

GRMBLL DE GRMBLL !

DITES DONC LES DEUX ZOZIAUX, PASSE ENCORE QUE J'VOUS LAISSE LA GLACE POUR VOUS SEULS LE DIMANCHE MATIN...

...MAIS QUE VOUS ME DÉMOLISSIEZ MA PISTE AVEC VOS MAUDITS PATINS, PAS QUESTION ! J'EN AI PLEIN MON VOYAGE DE VOS LAMES AFFÛTÉES COMME DES RASOIRS ! RECOMMENCEZ PLUS, COMPRIS LES ZOZIAUX ?!

...CE PAUV' LEBOEUF, IL FAUT TOUJOURS QU'IL EXAGÈRE. OUAF! OUAF!
HA! HA! HA!

ALLEZ, ON PASSE AUX CHOSES SÉRIEUSES: QUI VEUT UNE BONNE TRANCHE DE JAMBON FUMÉ À L'OS ?
37

BONHOMME DE NEIGE

MISÈRE ! GUYTOU, LE POÊLE EST EN PANNE: ON VA MOURIR GELÉS !

J'APPORTE DU BOIS SEC, MAMOUR ...
IL NE S'AGIT PAS DE ÇA, IL EST VRAIMENT EN PANNE: LE FEU S'ÉTOUFFE À CHAQUE FOIS !
C'EST GRAVE !

CE FOURNEAU, J'LE CONNAIS DEPUIS TOUJOURS, C'EST LA TRAPPE À AIR QUI EST COINCÉE. C'EST À CHAQUE FOIS PAREIL: APRÈS L'ÉTÉ, ELLE ROUILLE. J'M'EN VAIS T'RÉPARER ÇA EN DEUX COUPS DE CUILLÈRE À POT !
T'ES UN KING, MON GUYTOU.

J'M'EN REVIENS ...

UMPF ! VOILÀ, IL SUFFIT DE LEVER LE CAPOT ET ON ACCÈDE À LA TRAPPE À AIR...

PAR CONTRE, FAUT SE FAUFILER DANS LA BÊTE POUR Y VOIR QUÊQUE CHOSE !

VOILÀ, C'EST FAIT, Y A PLUS QU'À...
BOUM !

SI L'UN DE VOUS DEUX SE PERMET UNE RÉFLEXION SUR MON NOUVEAU CASQUE, J'LUI COLLE UNE BÛCHE !!
26

TÊTES DE PIOCHES

DORÉNAVANT LA LIGUE AUTORISE AUSSI LES JOUEURS DE CHAMP À PERSONNALISER LEUR CASQUE.

CHAUFFARD

BONHOMME DE NEIGE

À BOUT DE BRAS

LE P'TIT NOUVEAU

JOIE !

LES JOIES DE LA MONTAGNE

BIER

POP CORN

... SUITE À UN PROBLÈME DE RETRANSMISSION, NOUS SOMMES DANS L'IMPOSSIBILITÉ DE VOUS DIFFUSER LE MATCH DE CE SOIR. VEUILLEZ NOUS EN EXCUSER.
POP CORN

MA MÈRE ÉTAIT CHEF DE CHANTIER À LA BAIE-JAMES ET ELLE AIMAIT LES CASQUES. ÇA VIENT SANS DOUTE DE LÀ...

MAIS C'EST MON PÈRE QUI ME MIT MON PREMIER CASQUE SUR LA TÊTE...
BING!

ENFIN, SI ON PEUT APPELER ÇA UN CASQUE...

HEUREUSEMENT, MES DIFFICULTÉS POUR APPRENDRE À MARCHER ONT POUSSÉ MA MÈRE À REPRENDRE LES CHOSES EN MAIN...

ET PUIS TRÈS VITE, TOUT S'EST ENCHAÎNÉ DANS MA VIE...
BOUM!

JE PORTAIS UN CASQUE EN TOUTE OCCASION. C'ÉTAIT DEVENU UNE DEUXIÈME NATURE CHEZ MOI...
BOUM!

DE MON ADOLESCENCE...
BANG!

...À AUJOURD'HUI, J'AI TOUJOURS AIMÉ PORTER UN CASQUE, QUEL QU'IL SOIT...

ET JE ME DEMANDE, DOCTEUR, SI APRÈS TOUTES CES ANNÉES CETTE OBSESSION NE M'ATTIRE PAS DES ENNUIS ?!
29

QUATRE PATTES

OÙ EST-CE QU'IL NOUS EMMÈNE ENCORE RAVAGNARD ?! LUI ET SES PRÉPARATIONS PHYSIQUES À LA GOMME !
VA SAVOIR...
Canayens de MONROYAL

LE BOWLING, LE CURLING,* L'ESCALADE, IL EST DINGUE!
TU L'AS DIT !

* VOIR TOME 2.

MESSIEURS, CONSCIENT QU'UNE BONNE FORME PHYSIQUE RIME AUSSI AVEC "NO-STRESS", J'AI DÉCIDÉ DE VOUS OFFRIR UNE NOUVELLE APPROCHE EN TERMES DE PRÉPARATION.
AUSSI, NOUS ALLONS FAIRE...

DE L'ÉQUITATION ! UNE SIMPLE BALADE EN COMPAGNIE DE LA PLUS NOBLE CONQUÊTE DE L'HOMME VOUS APPORTERA CALME ET HARMONIE...
CHIC !

EN SELLE, LES SPORTIFS ! JE VOUS AI CHOISI DES MONTURES CALMES ET AFFECTUEUSES. VOUS ALLEZ RETROUVER LE GOÛT DE LA NATURE ET DE LA NONCHALANCE. LAISSEZ-VOUS PORTER...
MAGNIFIQUE!

TOUT LE MONDE EST PRÊT? VOUS N'AVEZ QU'À LAISSER VOS BÊTES SUIVRE MON CHEVAL. C'EST LUI QUI VA VOUS GUIDER !
CORREC'
FAAACILE !

ET ELLE VA DURER LONGTEMPS CETTE BALADE ?
HUIT JOURS !

COMPRENDS PAS: DEPUIS LEUR RETOUR HIER, ILS REFUSENT DE S'ASSEOIR.
LAPINTE
6
8
7
LEPAIS
5
10

LA CITÉ...
CETTE GRANDE VILLE FOURMILLANTE, LÀ-BAS, PLUS AU SUD...
Canayens de MONROYAL
Canayens de MONROYAL
EN AVANT!
EN AVANT
CETTE CAPITALE PLEINE D'HISTOIRE OÙ LE HOCKEY EST ROI...

UNE VOITURE... ROULANT VERS LA GRANDE VILLE, VERS LE TEMPLE SACRÉ, LE SAINT DES SAINTS DU HOCKEY : LE GRAND ARÉNA !
EN AVANT!

UNE FAMILLE PLEINE DE JOIE CAR ILS ATTENDAIENT CELA DEPUIS SI LONGTEMPS, EUX QUI VIENNENT DE SI LOIN, DU PAYS DES GRANDES FORÊTS ET DES LACS AUX MILLE COULEURS...

L'ÉQUIPE DU VILLAGE, LEUR ÉQUIPE, S'EST HISSÉE TOUT EN HAUT, AU SOMMET DE CETTE GRANDE LUTTE ANNUELLE ET CETTE ÉQUIPE LES ATTEND: ELLE A BESOIN DE LEUR SOUTIENT.

ILS SONT SEULS AU MONDE ET POURTANT...

ILS SONT DES CENTAINES SE RENDANT VERS CE SOIR DE MATCH AU SAINT-GRAAL

DES MILLIERS CONVERGEANT ET SE BLOTTISSANT, TOUS ENSEMBLE, POUR ASSISTER AU MATCH DE LEUR VIE...

BEN EN ATTENDANT, S'ILS VEULENT LE VOIR, CE MATCH DE LEUR VIE, ÇA SERAIT BIEN QU'ILS SE BLOTTISSENT UN PEU MOINS...
C'EST NOUS QU'ON JOUE !!
CE SOIR AU BEL ARÉNA
CANAYENS DE MONROYAL
VS
SMITTEN SMITHS DE PITTSBURGH
Canayens de MONROYAL

* SONNERIE AUX MORTS !

UN POING C'EST TOUT

WOSH!

BOKO

BAM

TRIIIIIIIIII

!!
PAS FAIT N'EXPRÈS ...

QUEL BÛCHERON, CE HAMMER !!
PAUV' POCKET !!
AU FAIT, IL EST OÙ POCKET ?!!

18

...IL RESTE SIX SECONDES AUX SMITTEN SMITH POUR ÉGALISER ET POUSSER AUX PROLONGATIONS. HAMMER S'EST EMPARÉ DE LA RONDELLE...

...IL FRAPPE...
SLAP!

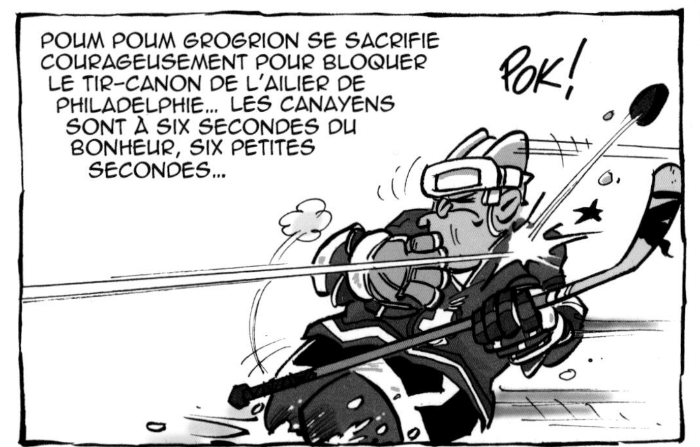
POUM POUM GROGRION SE SACRIFIE COURAGEUSEMENT POUR BLOQUER LE TIR-CANON DE L'AILIER DE PHILADELPHIE... LES CANAYENS SONT À SIX SECONDES DU BONHEUR, SIX PETITES SECONDES...
POK!

...ET EUH...
PONK!

...C'EST...HEM...
BOK!
CHTING!

BONK!
KLONG!
TING!

¡L COOOOMPTE !!!

ARRÊTE, GEORGES !! LA MORT SUBITE C'EST SUR LA GLACE, PAS ICIIIIII !!!
38

FIN DE LA PARTIE

FIN DE LA SAISON 3 !

WOSH!
ZIP!

BLAF!

WOSH!

?
POC!

WOOF!

BEN "NHL SUPERCRACKS VS MANGA DESTRUCTORS", C'EST ENCORE PIRE QUE CE QUE JE CROYAIS!! PEUH !
GAME OVER !!

BIBLIOGRAPHIE

DESSINATEUR ET SCÉNARISTE :

Destins Croisés – Éditions Nimescope

Le Fantôme des Arènes – Éditions Otsi

Némaus – Éditions Lacour

C.R.S. = détresse – (13 tomes) avec Cauvin – Dargaud

Doc Véto – (3 tomes) avec Godard – Dargaud

Woker « Le Secret de Tanzania » avec Widenlocher – Dargaud Suisse

Big Twin – Soleil éditeur

Les damnés de la route – (7 tomes) Bamboo édition

LES NOUVELLES AVENTURES DE LUCKY LUKE

Chez Lucky Comics :

Le cuisinier français

La Belle Province

La Corde au cou

L'Homme de Washington

Lucky Luke contre Pinkerton

L'apprenti cow-boy

LES CANAYENS DE MONROYAL

Chez Boomerang éditeur jeunesse :

La ligue des joueurs extraordinaires

Hockey Corral

Filet garni !

DÉJÀ PARUS CHEZ BOOMERANG :

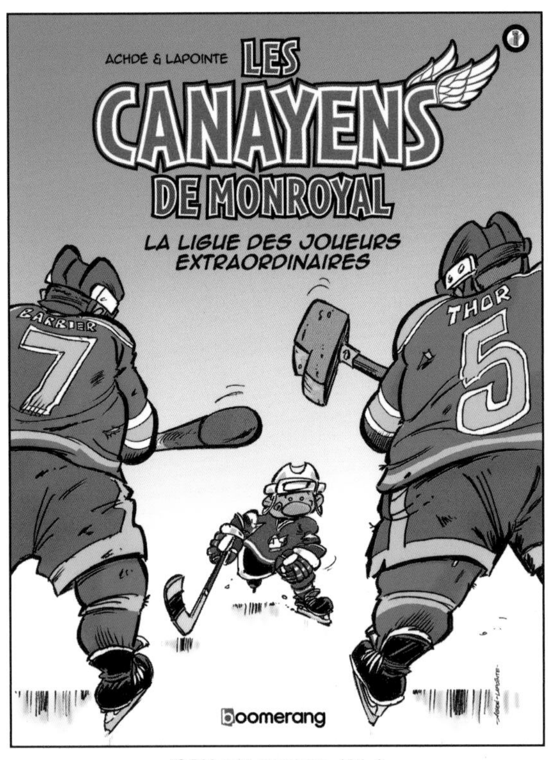

ISBN 978-2-89595-481-1

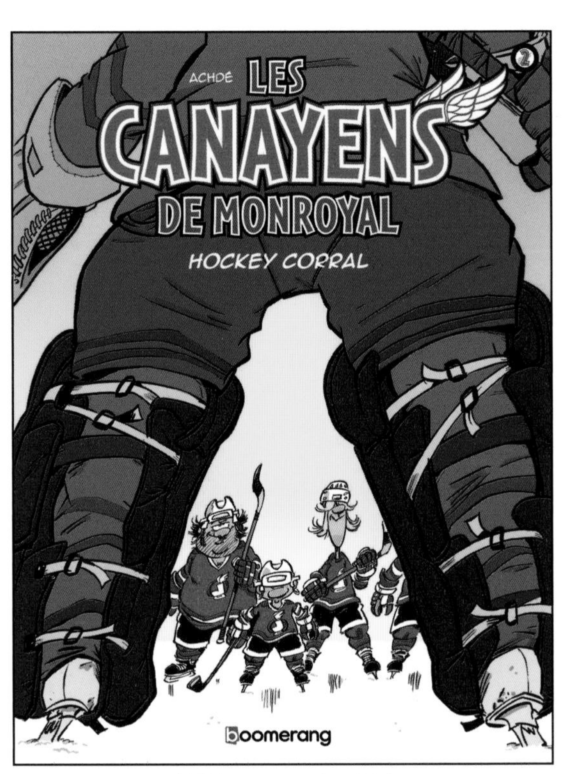

ISBN 978-2-89595-560-3

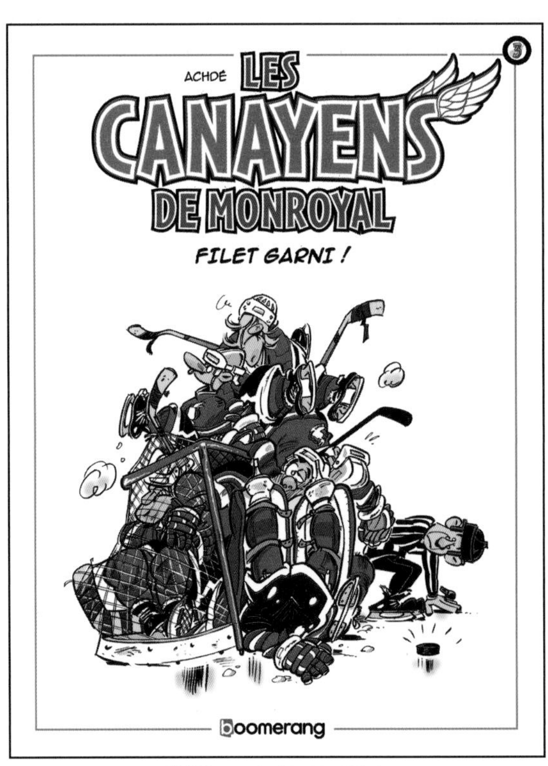

ISBN 978-2-89595-638-9

POUM!